나도 모르게 여름이 되면 바다가 보고 싶어진다.
여름의 바다는 좋아하는 사람을 바라보는 것과 같다.
뒤돌아보면 자꾸 생각나고 또 보러 가고 싶고
바라만 보아도 나의 지쳐있던 마음을 덮어버린다.
여름에는 역시 여름빛은 바다에게 있고 그대에게 있다.

여름에는 바다를 보러 가는 걸까
여름에는 그대를 보러 가는 걸까

태로리 시집

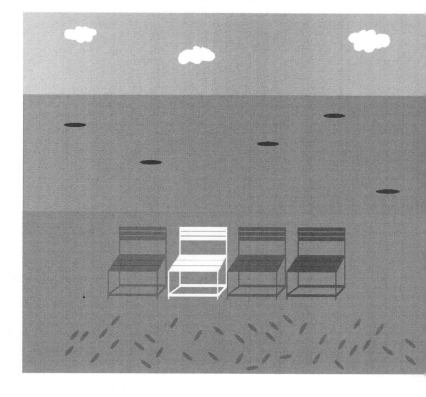

프롤로그

사계절 중 여름을 가장 좋아합니다.

여름은 더워도 마법 같은 순간이 일어납니다.

여름은 더워도 마음은 시원해집니다.

아마 우리에게는
소중한 그대가 있기에 가능한 일인 것 같습니다.

소중한 사람들과 함께 했던 그 바다는
언제나 그 자리에
언제나 우리 마음속에

1부 여름을 지켜준 것들

2부 바다가 보고 싶은 건지
그대가 보고 싶은 건지

3부 사랑의 여름

1부 여름을 지켜준 것들

여름 바다

여름에는 바다가 바다가 되고

하늘도 바다가 되고

마음도 바다가 되지만

그렇지만
네가 나의 바다가 될 때가 제일 좋다.

따뜻함

따뜻함의 힘을 나는 알고 있는데

내가 세상을 따뜻하게 바라볼수록

언젠가 사람들의 따뜻함이 돌아섰을 때

오랫동안 일어설 수 없었다.

그래도 나는 따뜻함이 좋은 걸까.

여름이 되면

여름이 되면
우리 다시 바다에서 만나기로 해요.

언제인지는 약속은 하지 않았지만
우연히라도 언젠가
함께 그 바다를 보러 오는 날이 오지 않을까요.

그때는 아무 말 하지 않아도
그저 웃으면서 서로를 바라봤으면 좋겠어요.

서로 말을 하는 그런 사이는 이제 아니지만
눈 인사라도
마음의 인사만큼은 행복하게 하기로 해요.

바다의 시간

푸른 하늘의 바다도
노을의 바다도
밤바다도
어떤 바다가 제일 좋은지
하나의 바다를 선택하라면 선택을 못하겠다.

그건 그렇고 바다도 바다지만
그보다 더 중요한 건 바다의 시간보다는
너와 함께하는 바다가 제일 중요하다.

너와 함께라면
나는 푸른 바다도
노을의 바다도
밤바다도
언제나 마음속에 펼쳐지니까.

마음이 나도 모르게 그렇게 된다

가끔은 아무나 붙잡고
가끔은 옆에 있는 사람에게
'제 이야기 좀 들어주세요.'라고
'인생은 뭘까요? 잘 모르겠어요.'라고
'사는 게 쉽지 않네요.' 마음으로만 말하는데

주변 사람들에게
고민과 마음을 터놓기 어려워지는 게 계속되니까
정말 간절해서 그렇게 하고 싶은 마음이 자꾸 드는 것은 왜일까.

그러나 결국 수십 번을 마음으로만 생각하고
결국 혼자 생각을 하고 고민을 하게 된다.

모르는 사람이라도
누군가가 말을 걸어줬으면 하는 그럴 때가 있다.
너무 답답해서 나도 모르게 그렇게 된다.
너무 지쳐서

포기는 하지 말자

포기할까.

시간이 많이 없잖아.

아니 그래도 한 번 더 해보자.

역시 포기할까.

아니 그래도 한 번 더 용기 내보자.

진짜 시간이 없잖아.

알고 있어. 나도
그래도 마지막까지 포기하지 말자.
그래도 포기는 하지 말자.

그때 감사했습니다

그 시절의 저의 마음을
지켜주셔서 감사합니다.

그대들이 지켜주었던 그 마음으로
저는 오늘을 살아갑니다.

마음의 인사

남겨진 마음 잘 받았어요.

그 마음으로
다시 한번 더 일어서 보려고 합니다.

감사합니다.
그리고 미안합니다.

응원합니다.
그대들을

저도 괜찮지 않지만
잘 지내려고 하고 있습니다.

구름에 가려 희미하지만 보이는 작은 해

날씨는 흐려서 구름이 덮고 있어서
햇빛이 나지 않는다.

근데 하늘을 올려다보니
해가 눈에 보이고 있었다.

구름에 덮여 희미하게 보이는 해가
그렇게 햇빛을 비춰주고 있었다.

우리가 인생에서 어려울 때
도와준 소중한 사람들이 마치 주위에 있는 해와 같았다.

그냥 그렇게 구름에 덮여서 흐린 날씨라고만 생각했는데
하늘을 올려다보니 해가 작게라도 보이고 있었다.

언제나 우리를 도와주는 손길은 늘 있었을지도 모른다.

그렇지만 내 마음이 어둠에 덮여
그 햇빛을 보지 못했을지도 모른다.

따뜻한 그 손길들을.

바다의 파도처럼

바다와 파도 물결이 흘러간다.

나도 흘러가면서 살고 싶었는데

매번 마음만 먹었지.

잘되지 않는다.

나도 흘러가고 싶다.

이제는

공원

편안한 공원은 사람들을 불러일으킨다.
아이들도 어른들도

나도 편안한 공원 같은 마음으로
누가 와도 그 사람의 마음이 편안해질 수 있게

마음의 꽃도 가꾸고
도시락도 함께 먹을 수 있게
솔직하게 마음을 터놓을 수 있게
공원 같은 사람이 되어야 되는데

공원에서 어른들과 이이들을 보며 항상 느낀다.

그대

맛있는 음식점을 알려준 그대
나였으면 절대 들어보지 못한 좋은 노래를 알려준 그대
자신이 좋아하는 예쁜 카페를 알려준 그대

덕분에 그곳을 가게 되었고 아직도 가끔 가고
예전에도 그렇고 아직도 그 노래를 듣는다.

그대들은 지금 옆에 없지만
추억을 만들어줘서
마음을 줘서 고맙다.

이어폰에서 그대는 흘러나오는데 이제 그대는 없다

노래마다 나에게
그 노래를 알려준 사람들이 떠오른다.

오랜만에 들은 노래들도
기억이 나는 건 왜일까.

노래라는 게 참 신기하면서도 슬프다.

지금 노래는 흐르고 있지만
그대들은 옆에 없고
나 혼자 지금 이 노래를 듣고 있다.

이어폰에서 그대는 흘러나오는데
이제 그대는 없다.

노래의 추억들이 되어준 그대
모두 잘 지내나요.

공원과 바다

공원을 바라보면 시간이 느리게 가서 좋다.

바다를 바라보면 시간이 느리게 가서 좋다.

조금이나마 생각을 멈출 수 있어서 좋다.

흘러가는 것을 바라보면
슬픈 마음도 조금은 흘러간다.

그렇게 그렇게 흘러간다.
공원의 사람들도
바다의 파도도
그것을 바라보는 나도

방황

내가 나로
다시 돌아올 것을 알면서

왜 그렇게 멀리 돌아갔을까.
나는

이건 이대로 좋은 방황인가
안 좋은 방황인가

그 걸음을 멈출 수 있는 날이 올까.

공원을 바라본 풍경

좋아하는 사람과
함께 이야기하고
함께 밥 먹고
함께 걷고
공원을 가면 우리의 인생이 보인다.
그게 우리의 전부인데

평범하지만 소중한 그 시간들을
잊고 살아가는지 모르겠다.

그렇지만 공원을 바라보면
다시 한번 소중함을 깨닫게 해준다.

그래서 나도 모르게 공원으로 발걸음이 가나 보다.

정말 고마워요

그때 서로가 서로에게
마음을 주지 않았으면

우리는 한 번 보고
평생 안 보는 사이가 되었을지도 모르는데.

마음이란 게 정말 소중하고 중요한 것이라는 것을 깨닫게 해준 사
람들.

정말 고마워요.

마음속에 담아본다

하늘과 바다는 같은 색깔인데
우리들이 있었던 시절의 색깔도 푸른 청춘이었는데

하늘과 바다는 여전히 푸른데
우리들의 푸른 색깔들은 없어져 버렸다.

그래도 다행인 건 아직 마음 한구석에는
작은 푸른 불빛이 완전히 꺼지지 않고 있다.

바다와 하늘의 푸른색보다
더 예쁜 푸른 색깔은 이제 없지만

그래도 바다와 하늘의 푸른 색깔을
마음속에 담아본다.

그날의 추억

어느새 저녁이 된 밤

우리는 돗자리를 깔고
그렇게 누웠다.

내가 만든 노래를 불러달라는 그대

멜로디랑 가사밖에 없는 노래지만
내가 가진 서투른 목소리로 노래를 불러본다.

어떻게 이런 노래를 만들었냐고 물어보는
그대의 질문에

대답을 잘 하진 못하고
그저 웃기만 한다.

미소가 그리워질 때면

빛나는 눈에
위로가 된 적이 있다.

다정하게 바라보는
그 시선에 담긴 미소는

나를 앞으로 나아가게 했던가

그 미소가 가끔 그리워질 때면

푸르고 예쁜 하늘을 바라본다.

우리 마음속에

그때 여러분들의 마음을
지켜준 사람들이 있죠?

아마 옆에 있던 그 사람도 여러분들 덕분에
마음을 지켰을 거라고 생각을 해요

서로가 서로의 마음과 추억을
지켜 줬을 거라고 나는 확신해요.

빛나던 시절이지만
아쉽게 흘러가던 시절이지만

우리 마음속에 담고 살아가요.
그 순간들을

슬프다

있고 싶어도 있지 못하는 게

가고 싶어도 가지 못하는 게

보고 싶어도 보지 못하는 게

함께 하고 싶어도 함께 하지 못하는 게

정말 슬프다.

그게 장소든 사람이든

2부 바다가 보고 싶은 건지
   그대가 보고 싶은 건지

바다와 그대

바다가 보고 싶은 건지

그대가 보고 싶은 건지

잘 모르겠지만

우선 바다로 발걸음이 옮겨져
오랜 시간을 달려 나도 모르게 바다로 간다.

이곳에 역시 와서 바다를 바라보니
바다보다는 역시 그대가 그리운가 보다.

여름의 마법

여름에는 집으로 가는 길이 멀게만 느껴진다.

집으로 가는 길이 덥다.

시간이 느리게 가지만

좋아하는 사람과 함께 걸으면

그대에게 집중을 하게 되니

더위나 시간 아무것도 생각이 나지 않는다.

여름의 마법이란 아마도 그대인가 보다.

슬프다

지금도 여전히 후회가 가득하지만
그때 나는 다른 선택을 했으면
그 사람들을 만날 수 없었고
그 추억들이 없었고
나의 미래는 바뀌었겠지.

아마 지금보다 더 나은 편안한 삶을 살고 있었을지도 모른다.

근데 나는 행복했을까.

그때의 선택이 지금의 나를 만들었지만
나는 지금 후회를 하고 있을까.

인생이란 잘 모르겠다.
그때가 조금은 그리운 건 맞지만
너무 슬프다.

인생이 잘못된 방향으로 간 것 같아서
그래도 글을 쓸 수 있게 된 것은
그때 내가 그 선택들을 했었고

그 사람을 만났기 때문에.

그건 정말 좋은 일인가

여전히 잘 모르겠다.

여름의 행복

아이스크림 하나에도 행복하고

아이스 아메리카노 한 잔에도 행복하고

시원한 물 한 잔에도 행복하고

공원의 의자에 앉아 있기만 해도 행복하고

바다를 바라보기만 행복하고

푸른 하늘을 올려다보는 것만으로도 행복하다.

그래도 무엇보다 네가 있는 게 가장 행복하다.

노래

신나는 노래의
따뜻한 울림도 좋지만

잔잔한 노래의 따뜻한 울림이
마음속에 오래 남는다.

노래의 잔잔한 따뜻함이 나에게 전해져
오랫동안 머리와 마음속에 남는다.

잔잔한 노래의 따뜻한 울림을 가진 노래는
마음을 나아가게 한다.

다시 한번 여름

봄이 여름으로 점점 흘러간다.
나는 아직 여름이 될 준비가 덜 됐는데

나는 이곳 여기서
여름을 다시 맞이할 수 있을까.

아마 이 거리에서 이 장소에서
여름을 볼 순 없지만

어디든 여름이니까.

나를 기억해 준 거리들과 가게들이 있으면
그걸로 된 걸까.

조금만 더 이곳에 있고 싶은 마음인데
작은 바람이 있다면 아마 여름에도 여기 있었으면 좋겠다.

여름의 이별

헤어지는 여름밤이 슬프다.

집으로 돌아오면 에어컨과 텅 빈 방

작은 선풍기와 빛없는 어두운 모습들이

우리를 더 슬프게 한다.

여름 하늘

여름 하늘은 푸른 하늘이어서 마음으로 볼 때
그 하늘과 구름이 마음에 스며들어
시원한 느낌이 든다.

여름 바다는 푸른 바다여서 바라보고 있으면
마음이 바다에 삼켜지지만
그 바다에 의해
마음에 있었던 나의 나쁜 마음들이 빠져나가는 것 같다.

푸른 하늘과 푸른 바다에 비친 그대의 하늘빛이 가득한 모습들은
미소에 담겨 있고 마음에 담겨있고

그 예쁜 모습들이 푸른빛의 그 모습이
나의 마음에도 비쳐 나를 웃게 한다.

그 푸른빛의 모습들을 보고 있으면
나를 다시 앞으로 나아가게 한다.

인생은 아이스크림

맛있게 먹으려고 종이를 벗기면
빠르게 녹아 손까지 흘러내려 버린다.

갈증을 해소하려고 먹었던 아이스크림인데
오히려 갈증을 불러일으키는 아이스크림은

그래도 그 순간의 달콤한 한 입을 위해
아이스크림을 먹는 우리들은

어쩌면 단 한순간이라도
달콤한 시간들을 느껴보고 싶은 우리의 인생과 같지 않을까.

우리의 여름을 지켜준 건
달콤한 아이스크림이 빠질 수 없다.

어른들도 아이들도
여름이 되면 달콤한 모습들에 이끌려 간다.

아이스크림 하나가 어른들도 아이들도

덥고 지친 그 순간들을 한순간에 시원하게 만들었다.

아이스크림처럼 우리의 인생에도 그런 시원한 순간들이
많이 찾아왔으면 좋겠다.

나는 다시 그 여름으로 나아갈 수 있을까

무더운 여름

그 작은 바람이 얼마나 소중했는지
그 한 잔의 물이 얼마나 소중했는지
그대의 그늘이 얼마나 소중했는지

시원한 모습들의 형태가
여러 가지로 나에게 전해진 그 여름

하늘과 바다와 그대의 그 푸른 모습들이
여름을 시원하게 만들어 주었다.

날씨는 더워도 시원한 여름이 될 수 있다는 것을 알려준 여름
그 여름을 다시 생각을 해본다.

나는 다시 그 여름으로 나아갈 수 있을까.

창가 너머의 풍경

지하철이나 버스를 타면
저 창가 너머로 보이는 지나가는 풍경이
가끔은 위로를 해준다.

힘들 때 마음이 지나갔으면 좋겠다고 생각이 들 때면
지나가는 창문을 바라본다.

그렇게 모두 지나가기를 바라본다.

걱정하는 마음도
아픔과 슬픔들도 모두

여름 빙수

차가운 것을 잘 먹지는 않지만
여름이 되면 차가운 것들을 먹고 싶다.

부모님과 이모와 이모부와
함께 먹었던 여름날의 빙수가 생각이 난다.

평범하고 익숙한 망고 빙수
평범하고 익숙한 블루베리 치즈 빙수

이 큰 거를 어떻게 다 먹냐고 말씀하시는
이모와 이모부의 말 한마디

이런 거를 잘 안 먹어서 처음 먹어서
맛있는지 잘 모르겠다는 말을 하신다.

나는 요즘에는 혼자서도 이런 거 다 먹는 시대라고 말을 한다.
물론 나도 빙수를 혼자서 다 못 먹지만.

그렇게 첫 숟갈을 들고
시간이 별로 되지 않았는데
어느새 없어져 버린 빙수

그릇째로 드시는 이모와 이모부의 모습
'이거 맛있네.'

여름 빙수의 시원한 매력이 전해졌나 보다.
달콤한 과일과 달콤한 맛이 전해지면
사람들을 웃게 하는가 보다.

빙수는 그런가 보다.
여름 빙수는

여름이 왔나 봅니다

푸른색이 가득한 걸 보니
여름이 왔나 봅니다.

초록색이 가득한 걸 보니
여름이 왔나 봅니다.

하늘과 노을이 예뻐진 걸 보니
여름이 왔나 봅니다.

'바다가 보고 싶다'라는 그대의 말을 들으니
여름이 왔나 봅니다.

거리에 음악이 들리고 옹기종기 모여 앉아 있는 사람들과
밤바다에는 미소가 펼쳐지는 걸 보니
여름이 왔나 봅니다.

소중했던 사람들에게

저는 잘 지내고 있어요.

요즘은 어떤가요?

매일은 아니지만

가끔씩이라도 생각이 날 때면

마음으로 응원하고 있어요.

3부 사랑의 여름

여름

태양빛 하늘 아래
푸른 바다가 펼쳐지고
초록색을 띠고 있는 자연 속에서
작은 불어오는 바람에도 미소를 띠는
아이스크림 하나에도 행복을 찾을 줄 아는
뜨거운 여름이지만
우리는 여름을 시원하게 만들고 있었다.

분홍색 여름

여름은 푸른색의 계절이라고 생각했는데

여름은 초록색의 계절이라고 생각했는데

그대의 미소에 의해
분홍색 계절이 되기도 한다는 것을 느꼈다.

그런 예쁜 여름을 선물해 준
나에게는 소중한 여름이 있었다.

그럼 이제 여름은
나에게 분홍색 계절이라는 건가.

행복한 배경

가만히 앉아서
함께 있는 사람들의 행복한 모습을 바라보니

나도 다시
누군가와 함께 하고 싶은 마음이 든다.

다시 누군가의 인연으로 들어가서

나도 그 행복한 배경을 바라보는 사람이 아닌
나도 소중한 사람과 함께 배경을 채우고 싶다.

사랑의 여름

푸른색과 녹색이 가득한 이 계절에는

빛나는 것들이 생각이 난다.

바람을 타고 전해지는 이야기들

파도를 타고 전해지는 이야기들

여름 공기를 타고 전해지는 이야기들

각각 사람들의 빛나는 추억들

이루어지지 못한 우리의 계절

이루어지지 못한 사랑의 계절

사랑스러움이 가득했다고 생각했는데

지나고 나면 사랑이 아니었고

좋아하지 않는다고 생각했는데
지나고 나면 사랑이었고

마냥 덥다고 생각했던 계절인데
지나고 나면 추억이 되었고
그대가 있었고 내가 있었다.

여름의 풀들도 여름의 꽃들도 더운 것을 참고
꽃도 꽃의 친구들과 더위를 함께 하는 계절

그렇게 서로가 함께 참고
서로가 배려하는 계절인 여름이
우리에게 진정한 사랑을 말하는 것만 같다.

여름의 순간

여름의 순간을 남겨놓기로 해요. 여기

둘만의 미소를 이 거리에 남겨 놓으면

나중에 왔을 때 우리가 알아볼 수 있겠죠.

시간이 지나 나는 혼자가 되더라도

혼자서라도 이 거리를 걷고

그대에게 미소를 보내 드릴게요.

창밖을 바라보는 사람들

창밖을 바라보는 사람들은 무슨 생각을 하는 걸까.

그냥 문득 궁금할 때가 있다.

모두 비슷한 생각을 하며 살아가겠지.
아마도 잘은 모르지만

생각에 잠긴 사람들을 보면
나도 창문을 바라볼 때
나도 누군가에게 그 모습으로 보이는 걸까.

창밖을 바라보는 사람들의 하루가
오늘 하루도 괜찮은 하루였으면 좋겠다.

지치지 않은 날이었으면 좋겠다.

여름에 피어나는 꽃

봄에 여기 꽃이 피어있는 공원의 모습을 본 사람들은
여름이 되면 초록색으로 변해버린 모습이지만

그들의 눈에는 분홍색 벚꽃이 피어있던 모습들이
머릿속에 그려지고 마음속에 그려지는 거잖아요.

지금 당장 눈에 보이는 피어있는 모습은 없지만
그대의 마음속에는 꽃이 피어났던 적이 있어요.
그대의 인생 속에는 꽃이 피어났던 적이 있어요.

꽃이 피어났던 그날의 공원처럼

그대의 마음에도

그대의 모습에도

분명 피어나는 순간이 있었을 거예요.

그렇지만 한동안 초록색이 가득해서
같은 색깔이 계속되어서

지금 피어있는 예쁜 꽃들이 눈에 들어오지 않고
그대의 계절이 바뀌지 않고 그 모습 그대로 나아갔을 거예요.

그래도 있잖아요.
그대는 아름답게 피어났던 순간이 있었어요.
근데 지금 그대는 그것을 기억을 하지 못하고 있어요.

조금 있으면 지금 눈앞에는 여름을 가지고 있는 꽃들이
서로를 비춰주며 아름답게 펼쳐질 거예요.

있잖아요.
우리 다시 아름답게 피어날 그 순간들을 기다려 봤으면 좋겠어요.

바다

그대가 있던 바다지만

이제는 내 옆에 그대는 없어서

바다를 바라보면서 마음으로 떠올려 봅니다.

그렇게 바다만 한참을 바라보고 돌아옵니다.

지나고 보니 사랑이었던 것 같다

무슨 용기가 나에게 생겼는지

부끄러워하는 내 성격을 없애 버리고

용기 내서 그대에게 말을 걸었다는 게 정말 놀라운 일이었다.

지나고 보니 사랑이었던 것 같다.
아마도

버스

오랜만에 버스 앞자리에 앉아
지나가는 풍경들을 바라본다.

늘 버스 앞자리와 버스 뒷자리에 습관처럼 앉게 된다.
늘 어중간한 나라서 어중간한 내 모습이 싫은 나는
제일 앞자리에 앉거나 제일 뒷자리에 앉는 걸지도 모른다.
그렇게 모두가 다 내리고 내릴 때가 많다.

앞에 앉으면 기사님과 풍경이 보이고
뒤에 앉으면 승객들과 풍경이 보인다.

기사님과 승객들과 창 너머에 보이는 풍경이
오늘의 버스를 말해준다.
늘 그렇듯 마음이 오랫동안 버스에 머물게 된다.

기사님과 승객들에게 마음으로 외쳐본다.
'오늘 하루도 좋은 하루 보내세요.'라고

여름 이별의 길

여름이 지나가면
우리가 여전히 함께할 수 있을까요.

난 왜 이 여름이 지나가면
우리가 추억이 될 것만 같죠.

그대도 어렴풋이 느끼고 있는 걸까요.
이 계절이 우리에게 마지막 계절이라는 것을.

거리에서 발견한 진정한 사랑의 모습

세월이 흘러도

함께 손을 잡고

함께 걷는 노부부를 보면

왜 눈물이 날 것만 같지.

'진정한 사랑이란 게 이런 걸까.'라는 생각이

매번 그 모습을 볼 때마다 떠오른다.

하늘과 바다

여름은 바다와
푸른 하늘과
저녁 하늘과
밤하늘과
내 곁에 있는 너의 하늘과 함께
너와 나, 우리의 하늘과 함께
여름에는 바다와 함께하면서
바다를 바라보는 너를 보고 싶다.

우리의 인생 우리의 마음

어두운 구름으로 거의 전부 뒤덮인다 해도
조그맣게 보이는 푸른 구름이 우리의 마음인 것 같다.

어려운 상황에서도 희망이 있는
일어설 수 있는 우리의 마음

비록 오늘 이겨버리면 좋지만
그런 날도 분명 있지만

만약에 그렇지 못하더라도
내일은 반드시 맑은 날이 찾아온다는 것이

우리의 인생
우리의 마음이라는 것을.

시간의 소중함

시간이 없으니
더 그대에게 기대고 싶고
더 함께하고 싶고

시간이 없으니
더 그 장소에 있고 싶고
더 오래 머무르고

시간의 소중함을 별로 남지 않았을 때
더 소중하게 생각된다.

매번 나는
매번 그렇게 된다.

눈물과 집으로 돌아가는 길

건물들도 빛나고

가로등도 빛나고

지나가는 사람들도 빛나고

달도 빛나고

별도 빛나는데

나만 빛나지 않는다.

인생

함께 걷고

함께 이야기를 하고

함께 맛있는 음식을 먹고

함께 좋아하는 곳과
가고 싶은 장소에 가는 것.

나에게 인생이란

다시는

그런 생각이 든다.

왜 다시는 이 풍경을 못 볼 것 같지.

왜 다시는 이곳에 못 올 것 같지.

그런 생각이 드는 것도 슬프지만

그렇게 되어버리는 것이 더 슬프다.

여름 바다와 그대

여름에는 바다를 보러 가는 걸까.

여름에는 그대를 보러 가는 걸까.

앞으로 나아갈 순 없었지만

소중한 것을 잃어버리지 않기 위해

어떻게든 버텨냈던 그 시간들이 있잖아요.

그대 정말 잘 해냈어요.

여행

'그냥, 여행은 아니고 가고 싶은 데 갔어요.'라고 말했을 때

'그게 여행이지.'
굳이 무언가를 해야 하고 꼭 거기를 가는 게 아니고
가고 싶은 곳 가고 걸음을 움직이는 게 여행이라고
여행에 대해 다시 한번 생각이 날 수 있게 가르쳐 준 사람들

나도 늘 그렇게 생각하고 있었는데
나도 늘 다른 사람들에게 그렇게 말해왔는데
왜 정작 나 자신은 그것을 잊고 있었을까.

평범해도 소중한 여행인데.

여름 향기

그리운 여름 향기
그대의 미소가 향기 같아서
그대의 이름을 불러봅니다.
지금 그대는 없지만
이름을 부를 수 있어 다행입니다.
이름을 까먹지 않아서 다행입니다.
여름의 향기가 그리워지면
그대의 이름을 다시 한번 불러볼게요.
여름이네요.
더위 조심하시고 좋아하는 사람들과 잘 지냈으면 해요.

이어폰

잘못 눌러 우연히 흘러나온 노래에

그때의 추억들이 저절로 생각이 나서

나도 모르게 재빨리 다른 곡을 눌러버린다.

기억은 왜 그런 걸까.

노래가 기억을 덮어버리지 않고

노래는 기억과 함께 어울려버린다.

그게 좋으면서도 가끔은 슬프다.

여름 축제

여름빛은 여름에게 있는데

그 여름빛이 그대에게 간다.

그대에게 갔던 그대의 여름빛이

내 마음으로 와 버렸다.

이번 여름은 여름 색 계절의 축제인가 보다.

인생

어릴 때는 잘 몰라서 특별한 사람이라고 생각했지만

지금 생각하면 그냥 평범한 '나'이다.

그래도 요즘은 그냥 평범한 게 좋다.
오히려 평범해서 다행이라고 생각을 한다.

요즘은 막 노력을 하며 특별해지려고 하지 않아도 된다고 생각한다.

특별하게 바라봐 주는 사람이 있으면
소중하게 바라봐 주는 사람이 있으면

인생은 특별해지고 소중해지는 거니까.

나무와 사람과 상처

잎이 전부 떨어진 나무는
잎이 없기에 아픈지 안 아픈지 잘 모르겠다.

상처를 많이 받은 그대를 보니
이제는 그대의 마음에도 떨어질 잎이 없으니
눈에 보이는 슬픔의 모습이 희미해져서 알아채기 어렵다.

새 잎이 나올 때까지 또 얼마나 시간이 지나가야 할까.

그래도 옆에 있는 나무가 잎이 없는 나무랑 함께 있어주니
아마도 곧 새로운 잎이 피어나지 않을까.

나무가 나무를
사람이 사람을 채워준다.

지하철과 바다

발걸음이 바다를 향해

지하철을 타고 바다를 간다.

터벅터벅 걸어가며

눈앞에 다다른 바다의 모습을 바라보니

마음에 있는 아픔들의 무언가가 바다에 다 덮여버린다.

잠시 앉아서 바다를 바라보기도 하고

지나가는 사람들을 바라보기도 한다.

바다는 왜 그곳에 있을까.

이렇게 멀리 오는 것도 힘들지만 설레는 이유는

언제나 바다는 그 자리에 있고

사람들에게 알 수 없는 힘을 주기 때문이지 않을까.

돌아서면 다시 오고 싶은

돌아가는 발걸음을 조금이나마 멈추게 하고

뒤를 돌아보게 하는 바다는

인생도 사랑도 바다도 같지 않을까.

초록색 바다 푸른색 바다 분홍색 바다

그대와 함께하고 있으니

초록색 바다가 되기도 하고
푸른색 바다가 되기도 하고
분홍색 바다가 되기도 하고

그대의 마음에서 나오는 색깔과
빛나는 모습을 바라보니
지금 눈앞에 있는 다양한 색깔이 어우러진
무지개색 바다가 펼쳐진다.

사랑의 바다는 아마 그런가 보다.

그저 이 여름이 지나가지 않기를 마음속으로 바라본다.
흘러가는 잔잔한 파도처럼 그렇게 되었으면 하고

여름 바다

덥다고 그렇게 이야기하면서도

여름의 끝자락이 되면

괜히 아쉬운 마음이 든다.

지나가는 여름이 아쉬워

시원한 카페에 가서 커피를 먹기도 하고

딸기 빙수와 블루베리 빙수를 먹기도 하고

마트에서 사 온 끝자락의 수박을 먹기도 하고

괜히 바다를 걷기도 하고

밤바다를 바라보기도 한다.

내년의 여름은 다시 이 바다를 올 수 있을까

내년의 여름은 이곳에 올 수 있을까

소중한 사람들과 함께 하고 있을까

시간이 너무 빨라서 다서 여름의 시작으로 돌아가고 싶은 마음이
든다.

여름빛

나도 모르게 여름이 되면 바다가 보고 싶어진다.
여름의 바다는 좋아하는 사람을 바라보는 것과 같다.
뒤돌아보면 자꾸 생각나고 또 보러 가고 싶고
그저 바라만 보아도 나의 지쳐있던 마음을 덮어버린다.
여름에는 역시 여름빛은 바다에게 있고 그대에게 있다.

여름이 좋은 이유

1. 무엇보다 그대가 있어서

2. 수박이 맛있어서. 시원한 빙수와 아이스 아메리카노, 시원한 음식을 먹을 때 다른 계절에는 느낄 수 없는 무언가가 있어서

3. 여름 바다가 다른 계절의 바다보다 그 주는 느낌이 좋아서

4. 여름에는 사람들의 패션도 다양하게 꾸밀 수 있어 가장 빛나는 계절이어서

5. 여름이 청춘 영화 같아서

6. 여름에는 더운데 서로 배려하는 게 사랑인 것 같아서

7. 여름 하늘, 노을, 푸른색과 자연의 초록색이 주는 그 느낌이 좋아서

8. 바다를 걸으면서 바다를 바라보고, 사람들이 모여 있는 버스킹을 보면 그게 우리의 인생 같아서

에필로그

매년 여름은 다가옵니다.

덥기도 하지만 저녁이 되면 가끔 불어오는 바람에 미소를 짓
고 힘이 나기도 합니다.

좋아하는 사람들과 시원한 음식을 먹고
카페에 앉아서, 해변가에 앉아서 바다를 바라보기도 하고
'여름은 덥지만 이게 여름이지.'라고 생각이 들 때도 있습니다.

분명 더운 계절인데
우리의 마음을 시원하게 만들어주는 건

역시 우리들에게는
소중한 사람들이 있기에 그런 것 같습니다.

올해는 더더욱 소중한 사람들과
시원한 여름이 되었으면 합니다.

예쁜 추억들을 쌓고
내년의 여름이 됐을 때
언젠가 뒤를 돌아봤을 때

아마 그대를 지키는 힘이 될 거라고
저는 생각합니다.

여름만이 가지고 있는 여름빛을
소중한 사람들과 함께 즐겁게 보내시기를 바라봅니다.

감사합니다.

여름에는 바다를 보러 가는 걸까
여름에는 그대를 보러 가는걸까

발 행 | 2024년 07월 23일

저 자 | 태로리

펴낸이 | 한건희

펴낸곳 | 주식회사 부크크

출판사등록 | 2014.07.15.(제2014-16호)

주 소 | 서울특별시 금천구 가산디지털1로 119 SK트윈타워 A동 305호

전 화 | 1670-8316

이메일 | info@bookk.co.kr

ISBN | 979-11-410-9670-0

www.bookk.co.kr